Comment se déplacent les animaux?

Pamela Hickman

Illustrations de Pat Stephens

Texte français de Dominique Chichera

Éditions
SCHOLASTIC

À Caitlin – P.S.

Catalogage avant publication de Bibliothèque et Archives Canada

Hickman, Pamela
Comment se déplacent les animaux? / Pamela Hickman; illustrations de Pat Stephens; texte français de Dominique Chichera.

Traduction de : How animals move.
Pour les 6-8 ans.
ISBN 978-0-439-94256-0

1. Locomotion animale—Ouvrages pour la jeunesse. I. Stephens, Pat, 1950- II. Chichera, Dominique III. Titre.

QP301.H5214 2007 j573.7'9 C2006-905077-5

Conception graphique : Sherill Chapman

Édition publiée par les Éditions Scholastic, 604, rue King Ouest, Toronto (Ontario) M5V 1E1, avec la permission de Kids Can Press Ltd.

5 4 3 2 1 Imprimé et relié à Singapour 07 08 09 10

Table des matières

En mouvement

Que ressent-on lorsqu'on court plus vite qu'une voiture? Le guépard le sait.

Aimerais-tu pouvoir franchir une clôture très haute d'un seul bond? Le kangourou le peut.

Les animaux ont des corps différents qui leur permettent de se mouvoir de diverses façons. Viens faire connaissance avec des animaux intéressants et regarde comment ils se déplacent!

un lézard basilic

Ils nagent et flottent

Le corps des animaux qui vivent dans l'eau est fait pour nager et flotter. Ces animaux sont d'excellents nageurs ou plongeurs, ce qui leur permet d'attraper leur nourriture et d'échapper à leurs ennemis.

Le castor peut nager et plonger, et il le fait très bien.

un castor

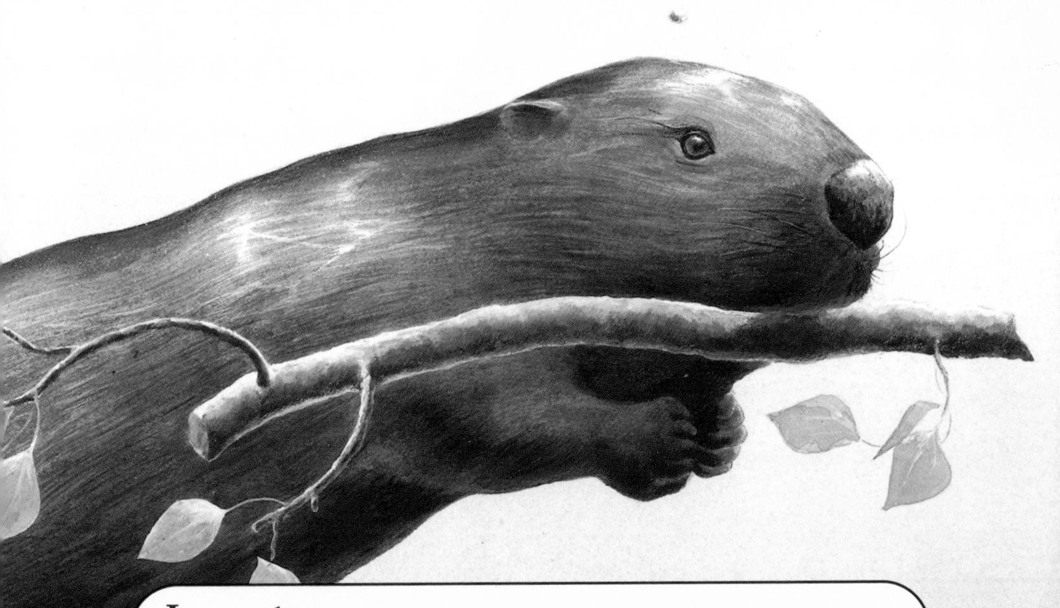

Le castor…

- a des membranes de peau entre les orteils, sur les pattes arrière. Ces membranes de peau l'aident à nager.
- a une queue large et plate qui l'aide à se diriger dans l'eau.
- peut fermer de minces membranes de peau dans son nez et dans ses oreilles, pour empêcher l'eau d'entrer.

Comme un poisson dans l'eau

Le poisson remue ses nageoires pour se mouvoir dans l'eau. Les nageoires pectorales lui permettent de changer de direction. La nageoire caudale l'aide à se propulser dans l'eau ainsi qu'à se diriger.

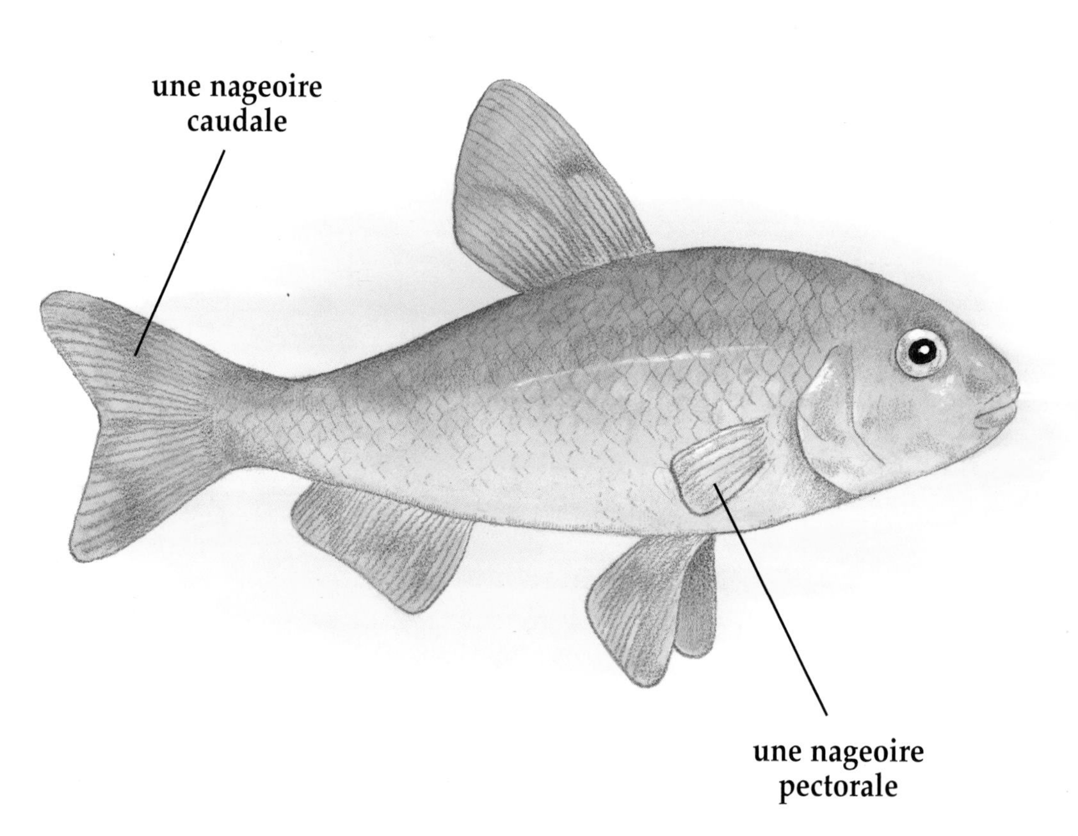

Des ailes sous l'eau

Le corps de la raie manta est plat et fin comme une crêpe. La raie peut ainsi se mouvoir dans l'eau avec une grande aisance.

une raie manta

La raie manta possède deux grandes nageoires qui ressemblent à des ailes, de chaque côté de son corps. Elle nage avec ces nageoires et s'oriente avec sa queue, longue et fine.

Les ailes étroites et pointues du manchot agissent comme de grandes palmes sous l'eau et l'aident à nager et à plonger.

un manchot

Le macareux utilise ses ailes courtes pour voler dans les airs et pour nager sous l'eau.

un macareux

Des pattes palmées

Beaucoup d'animaux qui nagent possèdent des palmes naturelles. On dit qu'ils ont les pattes palmées. Tu peux voir celles du castor à la page 6 et celles de la loutre à la page 27.

La grenouille est bien connue pour ses larges pattes palmées. L'ornithorynque possède, lui aussi, des pattes palmées pour l'aider à nager.

un ornithorynque

Ils volent et planent

Beaucoup d'animaux peuvent se déplacer dans les airs. Mais pour voler, il leur faut des ailes. Une abeille peut battre des ailes 250 fois par seconde et un colibri peut faire 75 battements par seconde.

Tous ces battements d'ailes demandent beaucoup d'énergie. C'est pourquoi l'abeille et le colibri passent la plupart de leur temps à manger.

un colibri

Le colibri...

- peut voler vers l'avant, vers l'arrière, vers le haut, vers le bas, de côté et même la tête en bas.
- peut battre des ailes et voler sur place près d'une fleur pour se nourrir.
- peut battre des ailes si vite qu'elles produisent un bourdonnement.

Des ailes pour voler

La chauve-souris n'a pas de plumes. Ses ailes sont faites d'une fine membrane de peau tendue entre son corps et ses longs doigts.

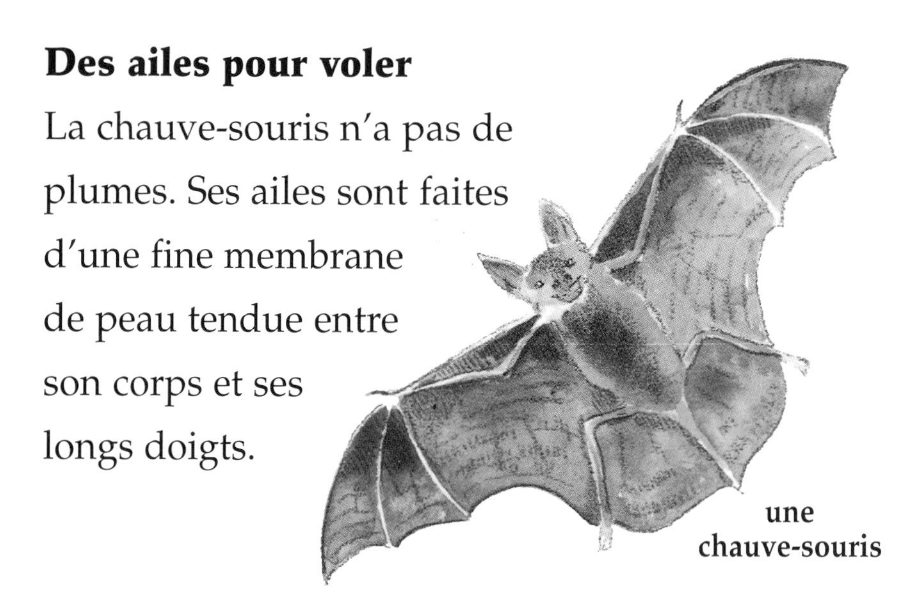

une chauve-souris

Les insectes, tels que les libellules, ont quatre ailes. Quand les ailes de devant se soulèvent, les ailes de derrière s'abaissent. L'abeille, la mite et le papillon ont également quatre ailes. Leurs ailes de devant et de derrière se soulèvent et s'abaissent en même temps.

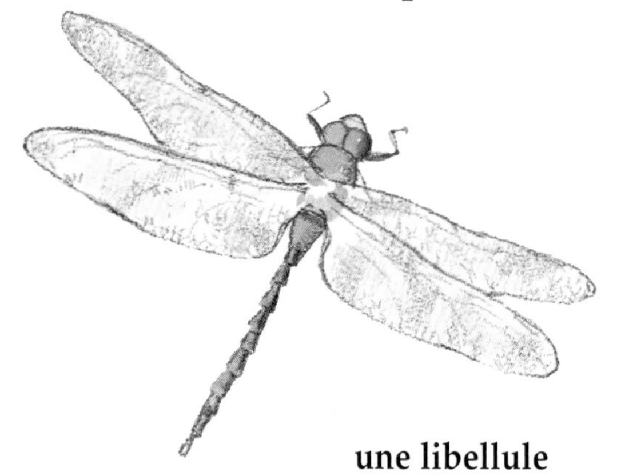

une libellule

Planer dans les airs

Les hommes se servent de parachutes pour ralentir leur chute dans les airs. Beaucoup d'animaux sont munis de parachutes naturels.

Pour aller d'un arbre à l'autre, l'écureuil volant saute dans les airs. Puis il écarte largement ses pattes. La peau tendue entre ses pattes avant et ses pattes arrière agit comme un parachute et permet à l'écureuil de planer dans les airs.

un écureuil volant

Ils marchent et courent

Quand tu marches, tout ton pied touche le sol. Mais si tu étais un oiseau, un chat ou un chien, tu marcherais sur la pointe des pieds.

Le guépard est un coureur fantastique. Il doit courir très vite pour attraper les proies qu'il veut manger.

Le guépard...

- peut courir plus vite que tous les autres animaux de la terre.
- a de très longues pattes et des muscles puissants dans les pattes arrière.
- a de longues griffes qui lui permettent de s'agripper au sol pendant la course.

De drôles de pieds

Certains animaux ont des pieds adaptés à la façon dont ils se déplacent.

Le chameau du désert a des coussinets larges et plats sous les pieds, ce qui lui permet de marcher dans le sable sans s'enfoncer.

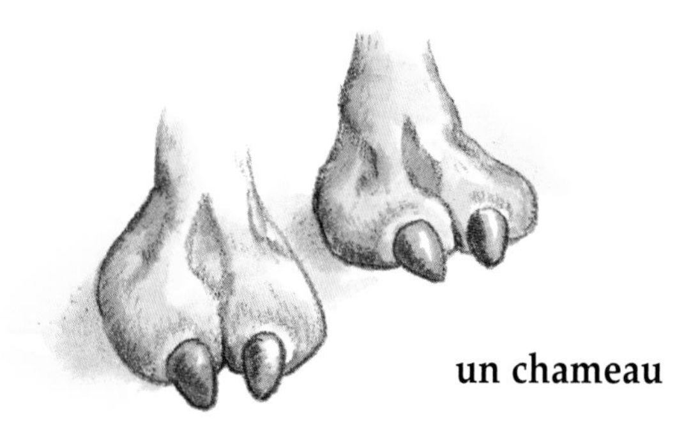

un chameau

En hiver, des écailles poussent le long des doigts de la gélinotte huppée. Ces écailles l'empêchent de s'enfoncer dans la neige.

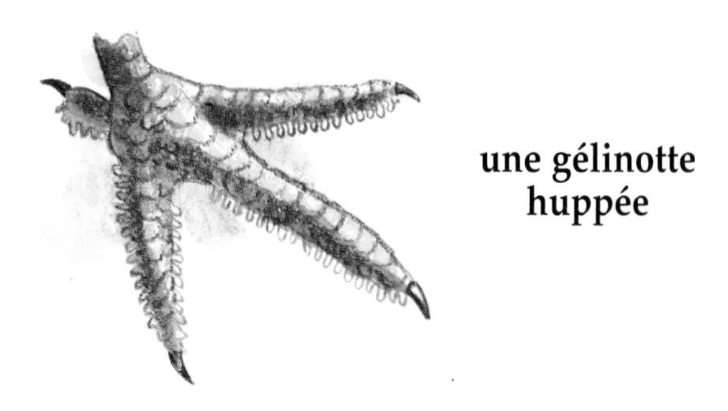

une gélinotte huppée

Marcher sur l'eau

As-tu déjà vu
un oiseau marcher
sur l'eau?

Le jacana peut marcher
sur la végétation flottante
en écartant les doigts
allongés de ses pattes.

un jacana

Si tu regardes les pattes
d'une araignée d'eau
avec une loupe, tu vas
voir pourquoi elle peut
marcher sur l'eau.
Les petits poils au
bout de ses pattes
l'empêchent de couler.

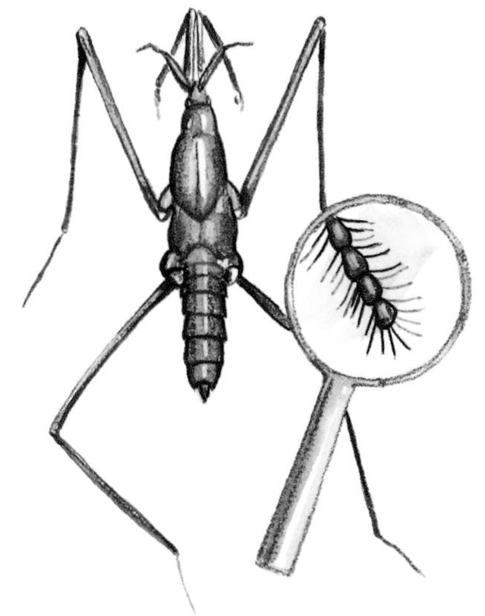

une araignée d'eau

Ils sautent et bondissent

Si tu devais faire des bonds au lieu de marcher pour aller quelque part, tu serais bientôt très fatigué. Mais si tu étais une puce, tu pourrais sauter plus de 10 000 fois par heure et avoir encore de l'énergie. Beaucoup d'animaux sautent et bondissent pour se déplacer rapidement et échapper à leurs ennemis. C'est ce que fait le rat-kangourou.

Le rat-kangourou…

- a des pattes postérieures longues et puissantes pour pouvoir bondir.
- a une longue queue qui l'aide à maintenir son équilibre et à changer de direction rapidement dans les airs.
- a des pieds arrière gros et poilus qui l'empêchent de s'enfoncer dans le sable.
- fait des bonds en zigzag pour échapper à ses ennemis.

un rat-kangourou

Les bestioles sauteuses

Si tu pouvais sauter comme une sauterelle, tu pourrais traverser un terrain de football dans le sens de la longueur en seulement trois bonds!

Comment des insectes tels que la sauterelle, la cicadelle et la puce peuvent-ils faire de si grands sauts? Ils possèdent des pattes aux muscles puissants et un petit corps qui ne pèse pas lourd.

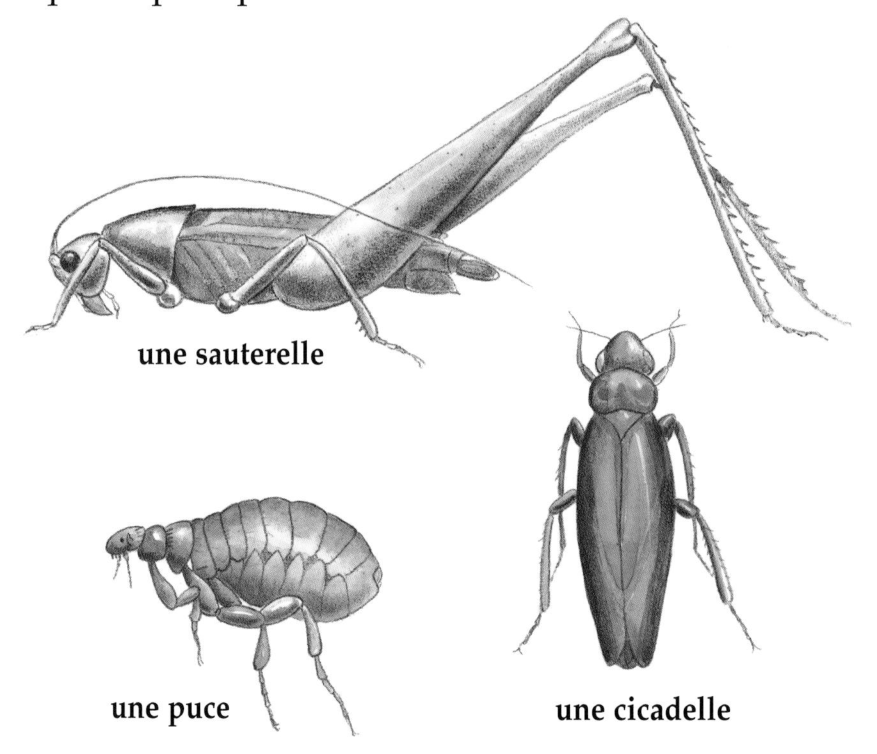

une sauterelle

une puce

une cicadelle

Des sauteurs puissants

À ton avis, quel est l'animal qui saute le plus haut – le kangourou ou le lièvre d'Amérique? Crois-le ou non, mais un lièvre d'Amérique peut sauter presque deux fois plus haut qu'un kangourou.

Leurs pattes arrière, grosses et puissantes, et leurs pieds larges font de ces deux animaux d'excellents sauteurs.

un lièvre d'Amérique

un kangourou

Ils rampent et glissent

Les serpents et les autres animaux sans pattes sont des experts en glissade. Certains peuvent même grimper aux arbres en glissant pour se nourrir ou pour échapper au danger.

Certaines créatures, comme le ver de terre, la limace et l'escargot, aiment sortir sous la pluie parce qu'il leur est plus facile de glisser sur le sol mouillé.

L'escargot...

- n'a qu'un seul pied.
- a un corps qui sécrète une matière visqueuse grâce à laquelle il peut glisser plus facilement sur le sol.
- se déplace très lentement – il parcourt moins de 3 cm par minute.

Les serpents ondulants

Il y a différentes sortes de serpents. Ceux-ci se déplacent de diverses façons.

Le boa constricteur se déplace en ligne droite, comme une chenille. Il avance d'abord le haut de son corps, puis tire le reste afin de le rapprocher.

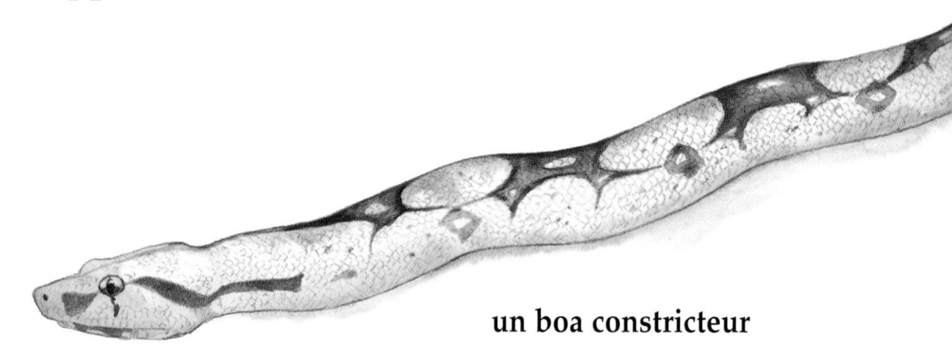

un boa constricteur

Le serpent-jarretière prend appui contre les pierres ou autres objets pour se propulser sur le sol par des mouvements en forme de S.

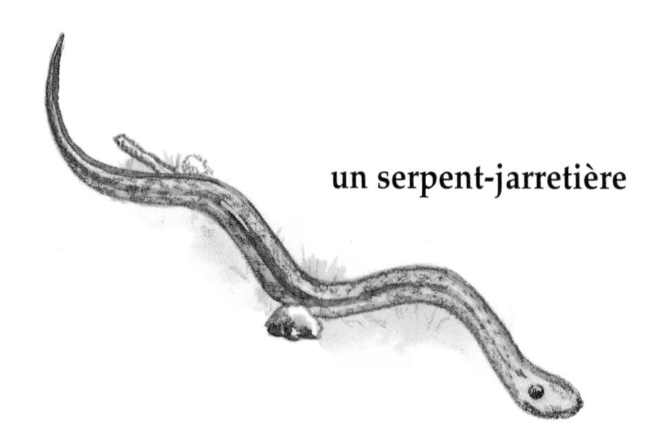

un serpent-jarretière

La glissade

La loutre aime glisser! Les familles de loutres descendent souvent le chemin gelé qui les mène au lac ou à la rivière en glissant sur le ventre. En été, elles descendent en glissant les chemins boueux qui aboutissent dans l'eau.

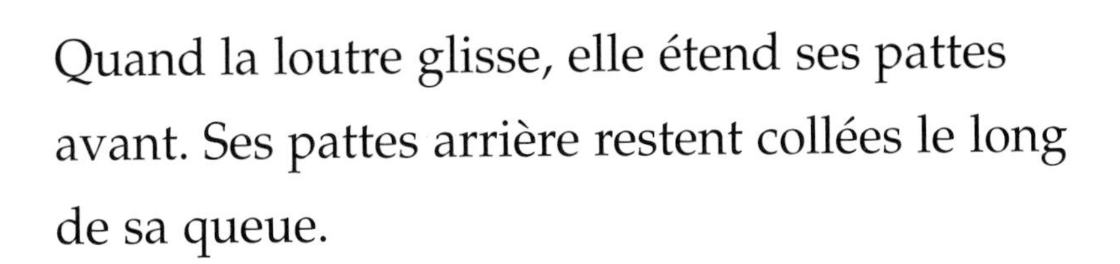

une loutre

Quand la loutre glisse, elle étend ses pattes avant. Ses pattes arrière restent collées le long de sa queue.

Ils grimpent et se balancent

De nombreuses sortes d'animaux passent leur vie dans les arbres – ils mangent, dorment et se déplacent au sommet. Des animaux qui se nourrissent sur le sol dorment parfois dans les arbres pour se protéger de leurs ennemis.

Certains animaux possèdent un corps qui leur permet de se balancer d'un arbre à l'autre ou de s'accrocher aux branches.

une grenouille des bois

La grenouille des bois...

- a des coussinets ronds et collants, comme des ventouses, au bout des doigts pour pouvoir s'accrocher en grimpant.
- a des doigts qu'elle peut bouger de côté et vers l'arrière pour pouvoir grimper sans avoir à lâcher prise.

Doigts, orteils et queue

Le singe-araignée possède des bras immenses, de longs doigts et de longs orteils. Il peut ainsi atteindre les branches et s'y agripper, lorsqu'il se balance d'un arbre à l'autre.

Le singe-araignée peut se servir de sa longue queue comme d'un bras supplémentaire pour se suspendre.

un singe-araignée

Le singe-araignée et le gibbon ont des mains spéciales, en forme de crochet, pour pouvoir facilement s'agripper aux branches.

Le gibbon peut se déplacer très vite en se balançant dans les arbres.

un gibbon

Au ralenti

Le paresseux se déplace d'un endroit à l'autre tout en restant suspendu aux branches des arbres. Il s'agrippe avec ses longues griffes recourbées.

Le paresseux avance très, très lentement le long des branches. C'est le mammifère le plus lent de la terre!

un paresseux